© texto: Conceição Evaristo, 2023
© ilustração: Luciana Nabuco, 2023
© Oficina Raquel, 2023
© 1ª reimpressão, 2024

Editores
Raquel Menezes
Jorge Marques

Assistente Editorial
Phillipe Valentim

Revisão
Oficina Raquel

Capa e projeto gráfico
Raquel Matsushita

Diagramação
Entrelinha Design

Dados internacionais de catalogação na publicação (CIP)

E92m   Evaristo, Conceição, 1946-
             Macabéa: flor de mulungu / Conceição Evaristo;
         ilustrações Luciana Nabuco. – Rio de Janeiro:
         Oficina Raquel, 2023.
             40 p.: il. color. ; 14x21 cm.

         ISBN 978-85-9500-101-5

         1. Ficção brasileira I. Nabuco, Luciana II. Título.

                                              CDD B869.3
                                         CDU 821.134.3(81)-3

Bibliotecária: Ana Paula Oliveira Jacques / CRB-7 6963

Este livro segue as novas regras do Acordo Ortográfico
da Língua Portuguesa.

Todos os direitos reservados à Editora Oficinar LTDA ME.
Proibida a reprodução por qualquer meio mecânico, eletrônico,
xerográfico etc., sem a permissão por escrito da editora.

R. Santa Sofia, 274 Sala 22 – Tijuca,
Rio de Janeiro – RJ, 20540-090
www.oficinaraquel.com
oficina@oficinaraquel.com

CONCEIÇÃO EVARISTO

LUCIANA NABUCO ILUSTRAÇÃO

MACABÉA
FLOR DE MULUNGU

oficina
raquel

Se essa história
não existe,
passará a existir.

CLARICE LISPECTOR
em *A hora da estrela*

Desde quando vi e não só olhei de relance a moça Macabéa, caída e semimorta no chão, imaginei que a flor de mulungu seria para ela, ou melhor, seria ela.
    E nem sei por quê. Só mais tarde a minha suspeição ficou confirmada. Sim, Macabéa, Flor de Mulungu.
    Foi preciso tempo. Um tempo profundo, mas de resumidas horas. Nunca tive a vida inteira a me esperar e a dela parecia estar quase-quase se esvaindo. Eu vi a moça, a outra. Uma Macabéa outra. E essa outra, vi em seu estado de breve floração.
    Mas em estado tão breve, que de tão breve, em mim se fez eterno. De Macabéa todas as pessoas fantasiavam somente a brabeza do desamparo. Para muitas, a moça padecia de solidão crônica.

E ficavam a imaginar a solitária vida de Macabéa. Umas achavam lágrimas em seu rosto. Viam punhados de águas secas. Outras assistiam sorrisos vazados de sua boca fechada a sete chaves, donde nem mosquito-riso passava. Muitíssimas ainda escutavam gritos que perfuravam o espaço do nada. Lugar no qual julgavam que ela nadava.

E tantas eram as verdades inventadas acerca de Macabéa, que se a pobre sofrente tomasse conhecimento de tudo que era criado a respeito dela, na certa não suportaria tudo em si. Explodiria de tanto ser aquilo que ela nem sabia se era. Havia ainda pessoas que acreditavam que a moça trazia em si um corpo feito de uma interioridade nula e incurável. Vazio próprio de um mal antecedente original. Essas sim, condoídas por ela, choravam. Macabéa, nem sei que não. Creio que a sofrida invenção que criavam para Macabéa doía mais no criador e talvez, bem menos, na criatura.

Eu também me espinhava todinha com as dores imaginadas por mim para Macabéa. Dores que ela mesma, segundo falavam, nem sabia ao certo como, e se doía ficavam nela.

Nos primeiros momentos, antes ainda de meu olhar pousar sobre a moça, levada pela tamanha sofrência que as pessoas traduziam da vida para ela, fui logo pensando na via-crúcis da existência de Macabéa. E por força de antigos conhecimentos, adivinhei a dor da moça. Das angústias de Macabéa eu carecia, para agraciar as minhas. E de que viver, o que escrever se não sangrassem em mim, as dores da estrela? E não sei por que, em hora tão imprópria, Flaubert me veio à cabeça. Depois atinei com o porquê da visita do francês a meu pensamento. Se ele, para se defender da severa moral da época, precisou afirmar que Emma Bovary era ele, eu não preciso de nenhum ardil para garantir que Macabéa, a Flor de Mulungu, sou eu. Tal é a minha parecença-mulher com ela. Repito, sou eu e são todos os meus.

Nas angústias de Macabéa, Flor de Mulungu, outras histórias me vieram à mente. Algo como o poema de um dos livros de Agatha Christie, em que nenhum negrinho dos 10 – charada para a trama policial – sobrevive para contar a história. Colado ao poema de Christie, nasce o descolado arranjo de Bráulio Tavares.

Na composição brasileira, em meio à mortandade dos negrinhos, também por causas diversas, há uma multiplicação dos vivos nos últimos versos:

"E um negrinho vem surgindo
do meio da multidão:
por trás desse derradeiro
vem um milhão."

E assim era a Béa. Una e múltipla, eu sabia. Sapiência, sabedoria, dom de Macabéa desde o berço.

A moça, é verdade, se embaralhava na escrita e tinha dificuldades em traçar palavras como "Dagmar", nome de uma de suas tias. "Dogma", expressão que ouvira um dia do padre, na igrejinha de sua terra. O termo "advogado" também lhe causava um mal estar. Como, sem suporte algum, uma letra sozinha podia significar um som inteiro na escrita? Ela não atinava como. A escrita é face falsa da palavra? E quando grafava esse tipo de palavra, ficava achando que o som poderia sair capenga, mancando, pendendo. Era preciso consertar as palavras, assim como era preciso consertar, arrumar a vida e o mundo. A língua de Béa era a

nossa e não era. Quem entendia bem o linguajar dela era aquela outra moça, que também era a outra, a Eulália de Marcos Bagno.

Macabéa não era uma pessoa de raso conhecimento. Era capaz de fingir de morta para enganar coveiro. Passava despercebida para muitos, enquanto nem sombra se movia longe dos sentidos dela. Dia e noite vigiava e assuntava a vida. A bem da verdade, Macabéa residia na casa da linguagem, embora não fosse de muito falar. Aprendera com os seus determinadas máximas. Em boca fechada não entra mosquito. Pouco errava em suas apreciações, não era dada à falação. Entre o ouro do silêncio e a prata da palavra, escolhia o recolher-se em si, em muitas ocasiões. Entretanto, exercitava a linguagem e muito. Primeiro com ela mesma, depois com o mundo, isto é, as outras, os animais e as coisas em seus estados.

Béa sabia que o mundo falava desde o seu silêncio. Ela também. Para Macabéa nada era mudo, muito menos o mudo. Há tantos sinais. E acatava solenemente a existência de outras linguagens, mesmo sendo desentendida delas.

Um dia, Béa ouvira a fala de um rio. E quem diria, pensava ela, que um tantinho de água arrastando num leito tão esmirradinho fosse capaz de oceanar as dores de sua secura. Ninguém diria. Mas o enfraquecido riozito anunciou a morte de suas águas. Quem passasse pelas suas margens, podia ouvir, se quisesse, o líquido soluçar agônico de uma escassa correnteza. Era só colar o ouvido na terra. Era só ouvir as vozes das margens. Ah! Macabéa era minguadinha também. Nascera raquítica e muito. Mas sobrevivera. Sobreviverá. Sempre.

De onde Macabéa, Flor de Mulungu, tirava suas sabedorias? De seus bons antecedentes. Sapiência ancestral. Aliás, era muito difícil, impossível quase, traçar com exatidão a árvore genealógica de Macabéa. As ramagens se embaralhavam. Procelas, invasões, travessias, exílios, batismos forçados, aldeias queimadas, tutela da igreja, muita água, quase mar, canoas sobre o Xingu.

Às vezes, Macabéa confundia as histórias de um passado remoto, longínquo, com as do passado presente. Confundia também em si povos espalhados pelo mundo. Africanos e seus descendentes,

árabes, ciganos, indianos, judeus, povos nativos das terras das Américas e outros e outros. Porém, em meio a estas embaralhadas lembranças, três imagens sobressaíam em sua memória. Uma trindade feminina. Uma jovem índia modelando uma jarra de barro. Uma mulher negra de pé, olhando as águas do mar, ao lado dela, um cesto coberto por uma toalha branca descansava. E uma velha portuguesa ocupada em servir o marido e os filhos. Nesses momentos, Macabéa impregnada pelo efeito das três imagens, experimentava o ápice da potência feminina. E se fortalecia na certeza de que não estava sozinha.

Das competências não anunciadas de Macabéa, Flor de Mulungu, além de ótima cerzideira, a moça tinha o ofício de parteira. Quem via os seus morosos dedos tropeçando nas teclas da máquina de datilografia não concebia, para suas mãos, o dom de amparar a vida em sua chegada ao mundo. E de outra arte, ainda Macabéa, sem nenhum alarde, possuía autoria. Ela sabia da serventia de várias plantas. O chá das folhas maceradas de mulungu tinha efeitos sedativos. Servia para abaixar pressão, acalmar e adormecer as pessoas. Para uns o oferecimento do chá poderia ser em abundância. Amansava feras bravias, senhores e senhoras, no gozo de escravização do outro, até a profundeza final. Pois o que é demais, sobra. Qualquer excesso é um risco. Inclusive o do sono. O indivíduo fraqueja, mesmo sendo ele o corpo senhoril. O peixe morre é pela boca, pensava Macabéa, quando ouvia essas histórias dos seus. Boa infusão a das folhas da árvore mulungu, apelidada como "amansa senhor", "capa-homem" e outras alcunhas. Esses e mais conhecimentos, repito, Macabéa herdara de seus bons antecedentes. Os povos das florestas e aqueles que tinham chegado, banhados da água salgada do mar, mantinham uma vital intimidade com as plantas. Boas folhas as da árvore mulungu.

De Macabéa, era o refinamento no preparo de garrafadas para uma infinidade de males. Remédios feitos nas urgências da vida. E, em cada mezinha preparada, tanto era o desejo, tanta era a intenção de cura, dispensadas na feitura dos remédios, que muitos doentes acreditavam que até o aroma dos aliviantes líquidos curtidos pela Flor de Mulungu,

como bálsamo, curava feridas do corpo e fendas da alma.

E assim-assim seguia a vida de Macabéa, na cidadezinha em que ela havia nascido. Amparando crianças que escorregavam livremente do ventre materno, mezinhando uns e outros e laborando em cerzimentos sempre, para muitos. De todas as funções exercidas, o ato de cerzir era o que mais seduzia a moça. E de todas as peças, as que vinham sempre em abundância para a cerzideira, eram lenços. Noite e dia. Alguns chegavam tão puidinhos, tão enfraquecidos e com os fios tão visivelmente rompidos, que não passavam de molambos pendentes à morte, ao esquecimento. Para esses então, o afazer da moça não se resumia somente em restaurar os fios esgarçados. Era tudo o mais. Tratava-se de recompor, de devolver a vida que ali existiu. Esses lenços, existências em seus momentos escorregadios, chegavam sempre secos, mas úmidos de lágrimas. Seus donos podiam ser homens ou mulheres. E com que presteza a Flor de Mulungu se entregava toda ao milagroso ofício!

Em Macabéa, a estrela, a luz. Com as mãos desempenhando outro ofício, pegava a criança que se apresentava ao mundo. Macabéa, partícipe ativa de um enigma, que é o de nascer. Com naturalidade ela partejava as mulheres sem que nenhum rebento tomasse a via contrária. Sim, todos nasciam vivos. Por isso mesmo, era sempre solicitada e afirmavam a divindade de suas mãos. Mãe e criança ficavam sempre salvas. Macabéa gostava desse ofício. Caminho inesperadamente tomado um dia, ao socorrer sozinha uma parturiente, cujo bebê apressado resolveu antecipar a hora do nascimento. As três parteiras que havia na cidadezinha, desde a noite anterior, estavam no labor de amparar a vida, enquanto outros nascedouros estavam se abrindo. Naqueles dias, parecia que as mulheres prenhes haviam combinado de parirem juntas, todas quase que na mesma hora. Dos gritos de uma, aos ai-ais de outra, uma rede de mil gemidos coletivizados, banhados de sangue, inundava o ar. E as crianças nascidas juntas, signo dessa cumplicidade sacralizada, pelo parido pranto conjunto dessas mulheres, cresceram se saudando como irmãs. Porém, o rebento maior que esse parto coletivizado pariu foi a entronização da menina Béa no divino ofício.

As mulheres, pela força das circunstâncias, nem sempre favoráveis a ela, geraram a parteira Macabéa, que tinha uns quinze anos talvez. E desde então, Flor de Mulungu conseguia vigiar o nascedouro das mulheres e buscar, com firmeza para a vida, o nascituro em sua explosão de viver.

E assim-assim seguia a vida de Macabéa na capital, lugar de sua nova moradia. Dos ofícios aprendidos em sua terra natal, corria o risco de perder a habilidade, já que não desempenhava mais nenhum deles. Ao aportar, nas imediações da Praça Mauá, percebendo a vizinhança, pensou em continuar mezinhando, cerzindo e partejando. Com certeza encontraria pessoas que necessitariam de seus trabalhos. Entretanto, o pensamento esfumaçou-se em um não pensar mais no assunto. Macabéa queria experimentar o novo. E como sabia um pouco de datilografia, imbuiu-se da certeza de que deveria buscar nova profissão. Nos primeiros meses, apesar das dificuldades encontradas, o tec-tec da máquina soava como música alvissareira em sua vida. Porém, com o passar o tempo, esse tec-tec se transformou em um viciado e pobre refrão, um canto desafinado no cotidiano de seus dias. E diversas vezes Macabéa se perdia nas ordens dadas por Seu Raimundo, seu patrão. Voz e conteúdo de mensagem se transformavam em tec-tec-tec; tec-tec-tec; tec-tec-tec. Glória, sua companheira de trabalho, não tinha outro assunto a não ser tec--tec-tec. As quatro moças, balconistas das Lojas Americanas, multiplicavam por quatro o infinito tec-tec-tec de suas conversas. E até tarde da noite, mesmo cansadas, preocupadas com Macabéa, tentativas faziam para arrancar a moça de seu mutismo e aliciá-la para o tec-tec--tec de vários assuntos. Mas o pior era a hora do encontro com Olímpico de Jesus. Estava apaixonada por ele. Dizem que o amor é cego, Macabéa queria que fosse também surdo. Tudo em Olímpico era tec-tec-tec e ele trazia em si um defeituoso dom, falava muito.

 E enquanto Macabéa em sua meia--morte balbuciava parte de sua história, não tive dificuldade alguma para entendê-la. Ela falava por mim e para mim, tal a nossa semelhança. Dor e aflição também me consomem. Em um quase abrir de olhos, ela diz que tudo amarelo lhe

sangra. Tudo lhe sangra em estrelas. Flores de mulungu vermelhas. Macabéa não pode morrer. Já morremos muito. Mas vivemos, apesar de. Junto à Macabéa ouço e recupero peças de nossas histórias. Eu sei bem quem é a Flor de Mulungu. A moça é capaz de fingir de morta para enganar coveiro. É ainda bastante hábil para lidar com um pré-anunciado fim. A criatura se dá à morte, para que a infeliz não se lembre dela. Macabéa dizia, quem quer falar que fale, eu aguardo pacientemente a minha hora. A cartomante se enganou. Enganou a si própria, não a mim. Eu dei a palavra a ela, como dei a Olímpico. Quem quiser falar que fale, eu aguardo pacientemente a minha hora. A cartomante não adivinhou que quando entrei ali, já tinha feito a minha escolha. Rearranjar minha vida, retomar os meus antigos ofícios.

Eu, na escuta de Macabéa, ia pedindo a vida que ficasse de prontidão. Guardado está quem a vida escolhe para si. E, enquanto ela me narrava o encantamento de trazer as pessoas ao mundo, foi que me veio a revelação. A mais justa das revelações. Macabéa ficava. A estrela anunciante da vinda de Macabéa se antecipava no céu. Vigoroso sinal de que a vida estava engolindo a moça. Uma noite que se antecipava, errando no tempo, queria anunciar prematuramente a saída de Macabéa, entretanto uma desafiante estrela impunha seu brilho. Entendi a justa revelação. A mais justa. A Flor de Mulungu não ia fenecer. Não. A posição fetal em que ela se encontrava era um indício de que uma nova vida se abria. Ela ia nascer por ela e com ela. Macabéa ia se parir. Flor de Mulungu tinha a potência da vida. Força motriz de um povo que resilientemente vai emoldurando o seu grito. Mulheres como Macabéa não morrem. Costumam ser porta-vozes de outras mulheres, iguais a elas, mesmo travestidas em Glórias, e também costumam ser intérpretes das dores de homens, cabras-machos, vítimas-algozes, como Olímpico de Jesus. Macabéa não ia morrer. Uma trindade feminina potencializa a existência dela. Macabéa, mulher das mezinhas, dos cerzimentos, das mãos aparadoras e anunciantes da boa-nova do nascimento da vida, não morreria jamais.

Não, a morte, distendida e arrebentada linha, afrouxaria o tenso movimento,

e deixaria Macabéa, Flor de Mulungu, se enroscar em si mesma, para se desabrochar, ela própria, no movimento nascituro.

Não, a morte que se tratasse de retardar. Macabéa, Flor de Mulungu, tinha mil paninhos, retalhos de vida, dela e das outras pessoas para recompor. O jarro da jovem mulher indígena estava repleto de redes esburacadas, cujos frios finos fios estavam tão esgarçados, que só Macabéa seria capaz de recuperá-los no tempo. A mulher portuguesa não conseguia cerzir seus lenços, nem do marido, nem dos filhos. A mulher negra diante do mar, com seu cesto em descanso, estava quase-quase jogando seus esfiapados panos na marítima correnteza. Todas, elas e eu, nós precisamos de Macabéa, Flor de Mulungu. E mais do que isso. A árvore da vida de Macabéa, o mulungu, ereta esperava por ela. Estávamos em agosto, mês de sua única floração. A árvore matriz desafia o tempo que se diz ser o do agouro. Nesse momento nenhuma folha veste os galhos da árvore. Só tronco e galhos nus de verde sustentando as flores. A árvore, cada qual, ao florescer, tem tonalidade diferente. Escolho o pé de mulungu de rubras flores. Macabéa também. Ao redor do mulungu, todas as outras árvores, em tempos antes da primavera, estão ainda sem os seus adornos. Só a árvore mulungu, nessa precária ocasião, oferece o mel de suas flores às famintas aves, que pousam sobre ela.

POR AQUILO QUE VIVE

NATASHA FELIX
poeta e performer

Você pode, por exemplo, sair deste conto pensando a voz não morre, reverbera. Você pode pensar no florescimento da flor de mulungu, sempre no agosto da festa de Olubajé. Você pode também se dedicar a pensar nos quarenta e seis anos que separam a primeira publicação da Hora da Estrela, de Clarice Lispector, desta publicação, como um grande período de luto de uma personagem que, agora, ganha outros contornos pela vista de Conceição Evaristo. Você pode – por quê não? –, pensar na literatura, sobretudo aquela produzida por pessoas negras, como uma forma de fazer vingar a vida.

Quando Conceição anuncia sua aliança com a personagem, irmana-se a ela, lembro imediatamente de uma história de minha avó Antenora. Eram seus vinte e poucos anos e, nos momentos de tédio, Antenora andava até o Cemitério da Areia Branca com uma garrafa de pitú. Entrava em um velório de um desconhecido, bebia e embebedava os parentes e amigos todos. Fazia esse ritual com frequência, não sei por que sempre às quartas-feiras.

Em uma das vezes, se aproximou do caixão e, notada a tábua de madeira meio solta, começou a fazê-la de gangorra. Enquanto o morto pulava e o público gritava, minha avó ria. Engana os vivos como Macabéa engana os coveiros. Nos engana?

    Gosto dessa história porque sinto que acontece algo parecido aqui. Tocar algo que seria, supostamente, intocável. Um grande clássico, no caso. A dita literatura universal. De todo modo, não me parece ser o caso de escolhermos entre uma e outra. A tarefa que Conceição Evaristo nos sugere, enquanto leitores, é ver – nunca olhar de relance – e ser as sapienciais que movimentam outros jogos com a memória, a fim de positivar a existência das Macabéas, sem enclausurá-las à narrativa do corpo em sofrimento.

    A narradora de Conceição Evaristo conversa com Macabéa, aproxima-se dela com faro fino, o corpo disposto, jamais refém da dor, comprometida em criar relações com o texto, ou seja, com a vida. Faz reverberar as nossas vozes, que não morrem.

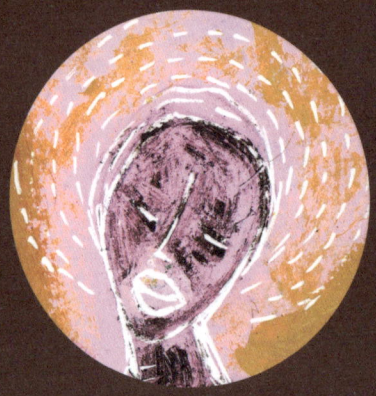

Este livro foi composto com a tipografia Absara no estúdio Entrelinha Design, impresso em papel offset 120 g/m², em novembro de 2023. Impresso pela Plena Print.